自我篇
獨特

米莉、茉莉和莉莉成長故事

你是特別的

【紐西蘭】吉爾·皮特 / 著　【紐西蘭】克雷斯·莫雷爾 / 繪　白冰 / 譯創

中華教育

責任編輯　夏柏維
裝幀設計　龐雅美
排　版　龐雅美
印　務　劉漢舉

你是特別的

【紐西蘭】吉爾·皮特／著　【紐西蘭】克雷斯·莫雷爾／繪　白冰／譯創

出版 | 中華教育

香港北角英皇道 499 號北角工業大廈 1 樓 B 室

電話：（852）2137 2338　傳真：（852）2713 8202

電子郵件：info@chunghwabook.com.hk

網址：http://www.chunghwabook.com.hk

發行 | 香港聯合書刊物流有限公司

香港新界荃灣德士古道 220-248 號荃灣工業中心 16 樓

電話：（852）2150 2100　傳真：（852）2407 3062

電子郵件：info@suplogistics.com.hk

印刷 | 美雅印刷製本有限公司

香港觀塘榮業街 6 號海濱工業大廈 4 字樓 A 室

版次 | 2021 年 12 月第 1 版第 1 次印刷

©2021 中華教育

規格 | 16 開（190mm x 140mm）

ISBN | 978-988-8760-06-0

如何理解每個人的獨特性

　　小天竺鼠參宿四的媽媽知道每個孩子名字的由來，唯獨不清楚參宿四的。參宿四非常難過、自卑。直到有一天，米莉、茉莉和莉莉偶然看到一顆特別的星星，就叫參宿四。

在一座花園裏，有個長滿野草的角
落，天竺鼠一家就住在那裏。

不過，其中的一些小天竺鼠，並不是天竺鼠媽媽生的。這些小天竺鼠叫她「繼母」「阿姨」或者「姑姑」。

天竺鼠媽媽知道每隻小天竺鼠的名
字，還知道幾乎所有小天竺鼠名字的來歷。

米莉、茉莉和莉莉喜歡趴在草地上，
看小天竺鼠們吃草。

　　她們最喜歡的還是看天竺鼠媽媽把小天竺鼠們叫到一起，聽她給小天竺鼠們講故事。

　　天竺鼠媽媽的話讓小天竺鼠們感覺又
溫暖又奇妙，讓他們都覺得自己很特別，
和任何一隻天竺鼠都不一樣。

　　她對叫雪花蓮的小天竺鼠說：「雪花
蓮！冬天快要過去的時候，雪花蓮就會從
地下鑽出來，悄悄地告訴大家，春天就要
來了，整個世界都會變個樣子。雪花蓮，
你是特別的。」

　　她對叫爆米花的小天竺鼠說：「爆米
花！奶油熱了，玉米脹得越來越大，砰，
玉米爆開了，鍋裏盛滿了鬆軟的爆米花。
好神奇呀！爆米花，你是特別的。」

　　她對叫香豌豆的小天竺鼠說：「香豌豆！
夏天最熱、花草最茂盛的時候，整個棚架都
開滿了粉紅色和紫色的香豌豆花，花園裏到
處都飄着花香。香豌豆，你是特別的。」

　　她對叫小栗子的小天竺鼠說：「小栗
子！當滿身是刺的栗子外殼裂開的時候，
裏面會有光滑、鮮亮的堅果，誰都喜歡。
小栗子，你是特別的。」

　　她對叫風鈴草的小天竺鼠說：「風鈴草！當我們經過一大片風鈴草時，好像看到了一塊好大的鮮花地毯，我們都會誇讚風鈴草。風鈴草，你是特別的。」

　　她對叫金蘋果的小天竺鼠說：「金蘋果！當我們咬一口剛摘下的蘋果時，又香又甜，那是陽光的味道。金蘋果，你是特別的。」

「參宿（🔊sam1 sau3）四。」

　　和以往每次一樣，天竺鼠媽媽講到這裏的時候，參宿四假裝睡着了。天竺鼠媽媽不知道他的名字是怎麼來的，所以就把他放在最後。她只好說：「參宿四，你是特別的。」

　　可是，參宿四覺得自己一點也不特
別，他想知道自己的名字到底是怎麼來的。

　　米莉、茉莉和莉莉看到參宿四不高興，心裏很難過。她們想方設法逗他開心。可是，她們這種特別的關心也沒讓他感覺舒服一點，他希望知道自己名字的來歷。

　　一天晚上，米莉、茉莉和莉莉正在看星星。一顆很特別的小星星吸引了她們的目光。它閃閃爍爍，發出紅色的、銀色的、金色的光芒。

　　米莉、茉莉和莉莉找到農夫郝加蒂，告訴他，她們看到了一顆特別可愛的小星星。

「那是參宿四呀!」郝加蒂說,「它可是夜空裏最可愛的小星星呢。參宿四是很特別的。」

米莉、茉莉和莉莉驚訝得說不出話來。

她們決定馬上去找天竺鼠媽媽，要把
郝加蒂的話告訴她。

這天晚上，天竺鼠媽媽把每一隻小天
竺鼠都哄睡着了，只有參宿四還沒睡……

　　天竺鼠媽媽溫柔地對他說：「參宿四！天空中，有數也數不清的星星，只有一顆小星星閃閃爍爍，特別明亮，特別可愛，誰都喜歡它，誰都願意抬頭看着它，這顆星星就叫『參宿四』。參宿四，你是特別的。」

　　參宿四覺得好溫暖、好奇妙呀！他向
夜空望去，覺得自己就是那顆閃閃爍爍的
小星星，好多好多的眼睛都在看着他，他
覺得自己真的很特別。

莉莉

米莉

茉莉

《你是特別的》閱讀指導

① 回憶

回想故事裏的角色：米莉、茉莉、莉莉、農夫郝加蒂、參宿四。

② 提問

每個小天竺鼠的名字分別代表了甚麼獨特之處？
參宿四代表了甚麼意思？

③ 理解

理解故事中包含的主題：獨特（認識每個人都擁有自己的個性和特質；認識自己和別人的差異性）。

天竺鼠媽媽知道幾乎每隻小天竺鼠名字的由來和含義，唯獨不清楚參宿四的名字是怎麼來的。參宿四為此感到難過、自卑。有一天，米莉、茉莉和莉莉偶然看到天上有一顆特別的星星，就叫參宿四。

④ 訓練

寫：列出所有你認為獨特的名稱以及它們的獨特之處。

說：和小夥伴一起分享自己名字的來源，說一說你們的名字代表了各自哪些獨特之處。

做：找到一位不了解自己獨特之處並因此缺乏自信的小夥伴，告訴他／她，你認為他／她有哪些獨特之處。

創：和小夥伴們一起排演這個故事吧。或者按本冊主題新編一個故事，可以畫下來、寫下來，也可以講出來喲！